*A Gina*
J.D.

*Con todo mi amor, para mis hijas Sophie y Katie Rose*
D.G.

Es una publicación de:

grupo editorial ceac

Título original: *Tell me Something Happy Before I Go to Sleep*
Traducción: Concha Cardeñoso

Texto © Joyce Dunbar, 1998
Ilustraciones © Debi Gliori, 1998
*First published in Great Britain in MCMXCVIII by Doubleday a division of Trasworld Published Ltd*
© Grupo Editorial Ceac, S.A., 2003
Timun Mas es marca registrada por Grupo Editorial Ceac, S.A.
www.editorialceac.com
e-mail: info@ceacedit.com

ISBN: 84-480-1128-7
Depósito legal: B. 26.668-2003
Impreso en España por Industria Gráfica Domingo, S.A.

# Cuéntame algo
# ALEGRE
## antes de ir a dormir

*Joyce Dunbar* • *Debi Gliori*

TIMUN MAS

Pina estaba cansada
y tenía mucho sueño,
así que se fue a la cama.

Se acostó y puso la almohada así…
y luego asá… y después de la otra
manera, pero no se podía dormir.

–Peluco –llamó Pina–.
¿Estás ahí?

–Sí –contestó Peluco–.
Aquí estoy.

–No puedo dormir –dijo
su hermana.

–¿Por qué no puedes dormir?
–preguntó Peluco.

–Tengo miedo –respondió
Pina.

–¿De qué tienes miedo?
–se extrañó Peluco.

–Tengo miedo de soñar algo
malo –contestó Pina.

–Piensa en algo alegre
y así no soñarás nada malo
–le sugirió Peluco.

*Pina intentó pensar en algo alegre,*
*pero no pudo.*
*–Peluco –le llamó Pina–. ¿Todavía*
*estás ahí?*

–Sí –contestó Peluco–. Todavía estoy aquí.

–¿En qué pienso, que sea alegre?

–le preguntó.

–Hay muchas cosas alegres –dijo Peluco.

–Pues dime alguna para que me pueda dormir.

Peluco lo pensó un momento
y luego dijo:

–Pina, mira debajo de la cama.

*Entonces Pina se asomó y miró debajo de la cama.*
*—¿Qué ves? —preguntó Peluco.*
*—Mis zapatillas con forma de gallo.*
*—Muy bien —dijo Peluco.*

–¿Y sabes qué hacen tus zapatillas con forma de gallo?

–No –dijo Pina–, no lo sé.

–Están esperando a tus pies. Los quieren mucho.

–¡Muy bien! –exclamó Pina–. Eso es alegre. ¿Qué más?

–¿Qué ves en la silla? –preguntó Peluco.

–Mi chándal azul y blanco.

–¿Y sabes qué hace tu chándal azul y blanco?

–No –dijo Pina–. No lo sé.

–Está deseando que llegue mañana, para que te levantes y te lo pongas.

–¡Muy bien! –dijo Pina–. Eso es alegre. ¿Qué más?

*Peluco cogió a Pina en
brazos y bajó sin hacer
ruido hasta la cocina;
luego abrió la puerta
de la despensa.
—¿Qué ves en los estantes?
—preguntó Peluco.
—Pan y miel, avena, leche
y manzanas —contestó
la conejita.
—Muy bien —dijo Peluco—,
y todos están esperando a que
los conviertan en desayuno
para ti y para mí.
—¡Qué bien! —exclamó Pina—.
Eso es alegre. ¿Qué más?*

*Peluco llevó a Pina a la salita y encendió la lámpara.*

*–¿Qué ves en aquel rincón?*

*–preguntó Peluco.*

*–Mi cesta de los juguetes llena*

*–respondió Pina.*

*–¿Y qué crees que hacen?*

*–No lo sé.*

*–Sueñan, sueñan con mañana y con los juegos que vais a jugar.*

*–Eso es muy alegre –dijo Pina–. ¿Qué más?*

*Peluco llevó a Pina hasta la ventana*
*y abrió las cortinas de par en par.*
*—¿Qué ves en la oscuridad?*
*—preguntó Peluco.*
*—Sólo veo la noche.*
*—¿Qué crees que hace la noche?*
*—quiso saber Peluco.*
*—No lo sé —dijo Pina.*
*—La noche espera, espera a que llegue*
*la mañana, que está dando la vuelta*
*al mundo.*
*—Eso es alegre —dijo Pina.*

–La mañana también espera –aseguró Peluco.

–¿A qué? –le preguntó su hermana.

–Pues, a muchas cosas –respondió Peluco.

–¿Qué cosas?–preguntó Pina.

–A que crezca la hierba y las flores se abran, a que se agiten las hojas, las nubes floten y sople el viento, a que el sol brille y los pájaros vuelen, a que zumben las abejas, a que graznen los patos...

–¡Cuántas cosas alegres! –exclamó Pina.

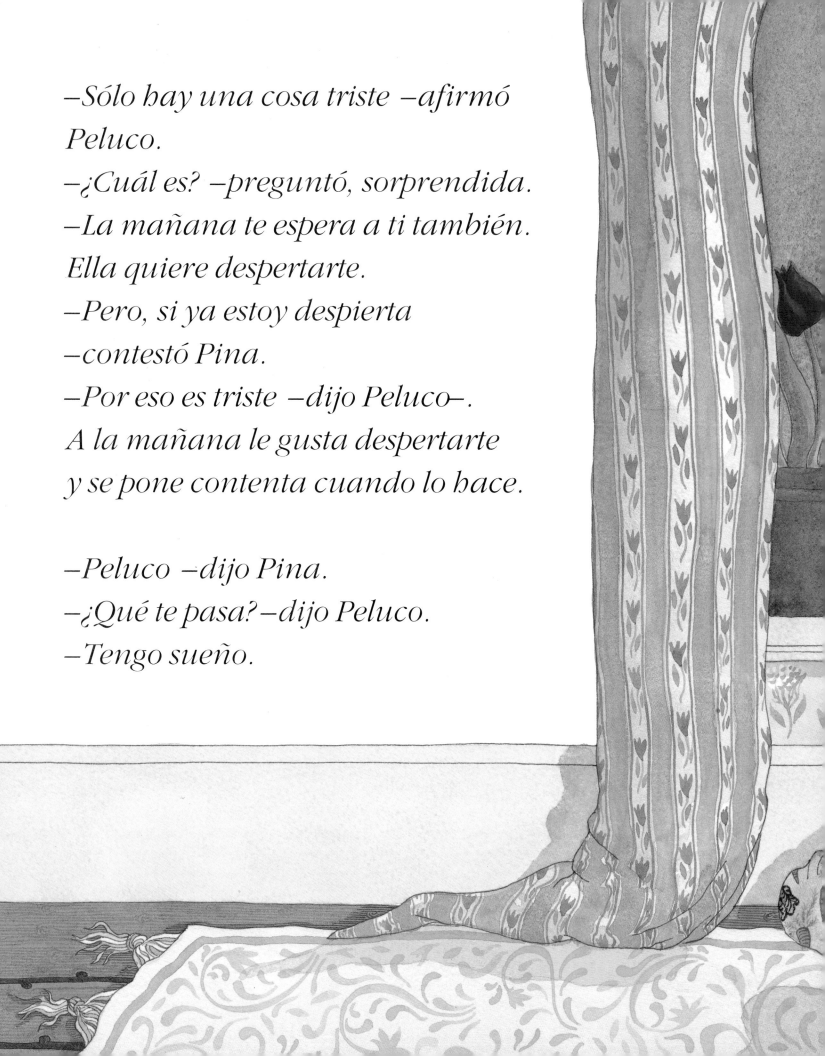

–Sólo hay una cosa triste –afirmó
Peluco.
–¿Cuál es? –preguntó, sorprendida.
–La mañana te espera a ti también.
Ella quiere despertarte.
–Pero, si ya estoy despierta
–contestó Pina.
–Por eso es triste –dijo Peluco–.
A la mañana le gusta despertarte
y se pone contenta cuando lo hace.

–Peluco –dijo Pina.
–¿Qué te pasa?–dijo Peluco.
–Tengo sueño.

Entonces, Peluco llevó
a Pina a la cama.
—¿Qué ves en tu cama?
—preguntó Peluco.
—Mi osito —respondió Pina.
—¿Qué crees que hace?
—Espera a que me acurruque
con él —dijo Pina.
—Muy bien —dijo Peluco—,
te espera sólo a ti.

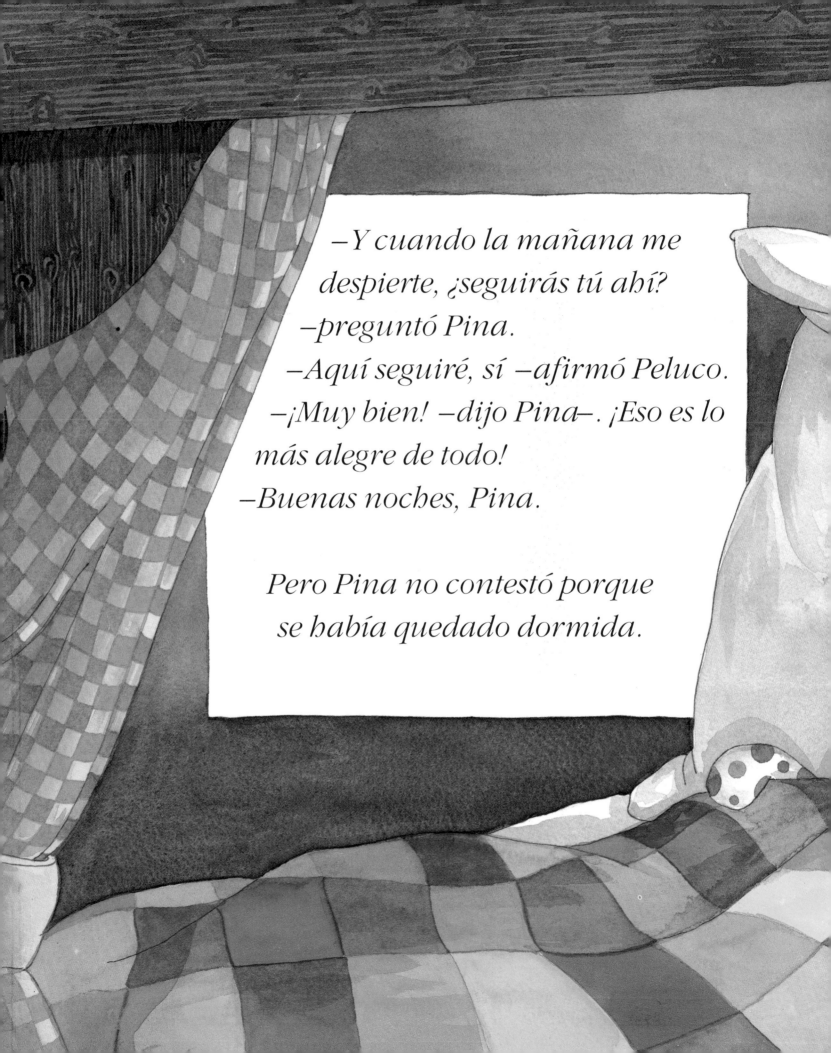

–Y cuando la mañana me
despierte, ¿seguirás tú ahí?
–preguntó Pina.
–Aquí seguiré, sí –afirmó Peluco.
–¡Muy bien! –dijo Pina–. ¡Eso es lo
más alegre de todo!
–Buenas noches, Pina.

Pero Pina no contestó porque
se había quedado dormida.

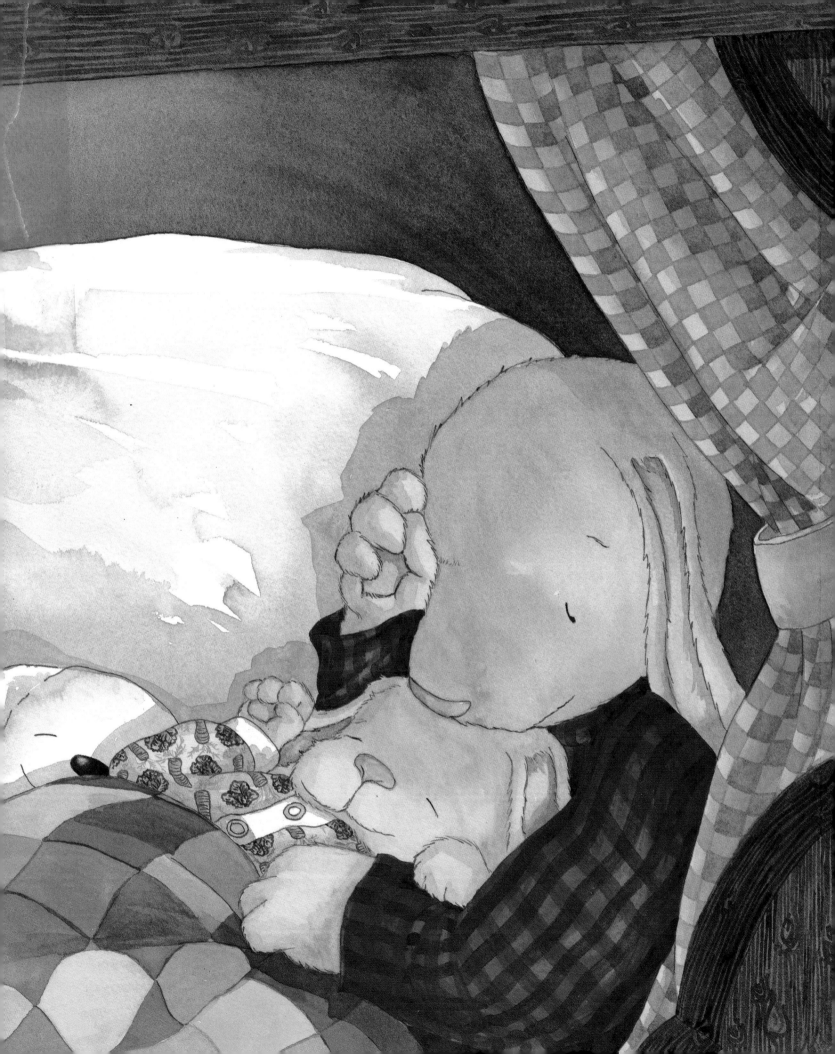